Marie-Andrée

PRÈS
DE L'EAU

L'édition originale de cet ouvrage
a paru sous le titre: *Be Safe Near Water*

Adaptation française de Louis Morzac

D/1990/0195/18
ISBN 2-7130-1076-4
(édition originale: ISBN 086313 955 8)

Exclusivité au Canada:
Les Éditions École Active,
2244, rue Rouen, Montréal H2K 1L5
Dépôts légaux, 2e trimestre 1990
Bibliothèque nationale du Québec
Bibliothèque nationale du Canada
ISBN 2-89069-019-9

Imprimé en Belgique

PRÈS DE L'EAU

PETE SANDERS – LOUIS MORZAC

Éditions Gamma – Les Éditions École Active
Paris – Tournai – Montréal

Introduction

La plupart des gens aiment l'eau et ses plaisirs, que ce soit à la mer, sur une rivière ou un lac, au bord d'un étang ou d'une mare ou même dans une piscine.

Ce livre t'aidera à découvrir les règles de prudence quand tu es près de l'eau. Si tu appliques ces conseils, tu pourras mieux assurer ta sécurité et celle des autres au bord de l'eau.

Il y a un tas de façons de s'amuser au bord de l'eau ou dans l'eau. Sur cette image, tu peux voir quantité de gens adonnés à des distractions variées. Malheureusement, tous ne pensent pas aux risques qu'ils prennent. Peux-tu repérer les imprudences? Tu trouveras quelques réponses à la page 29.

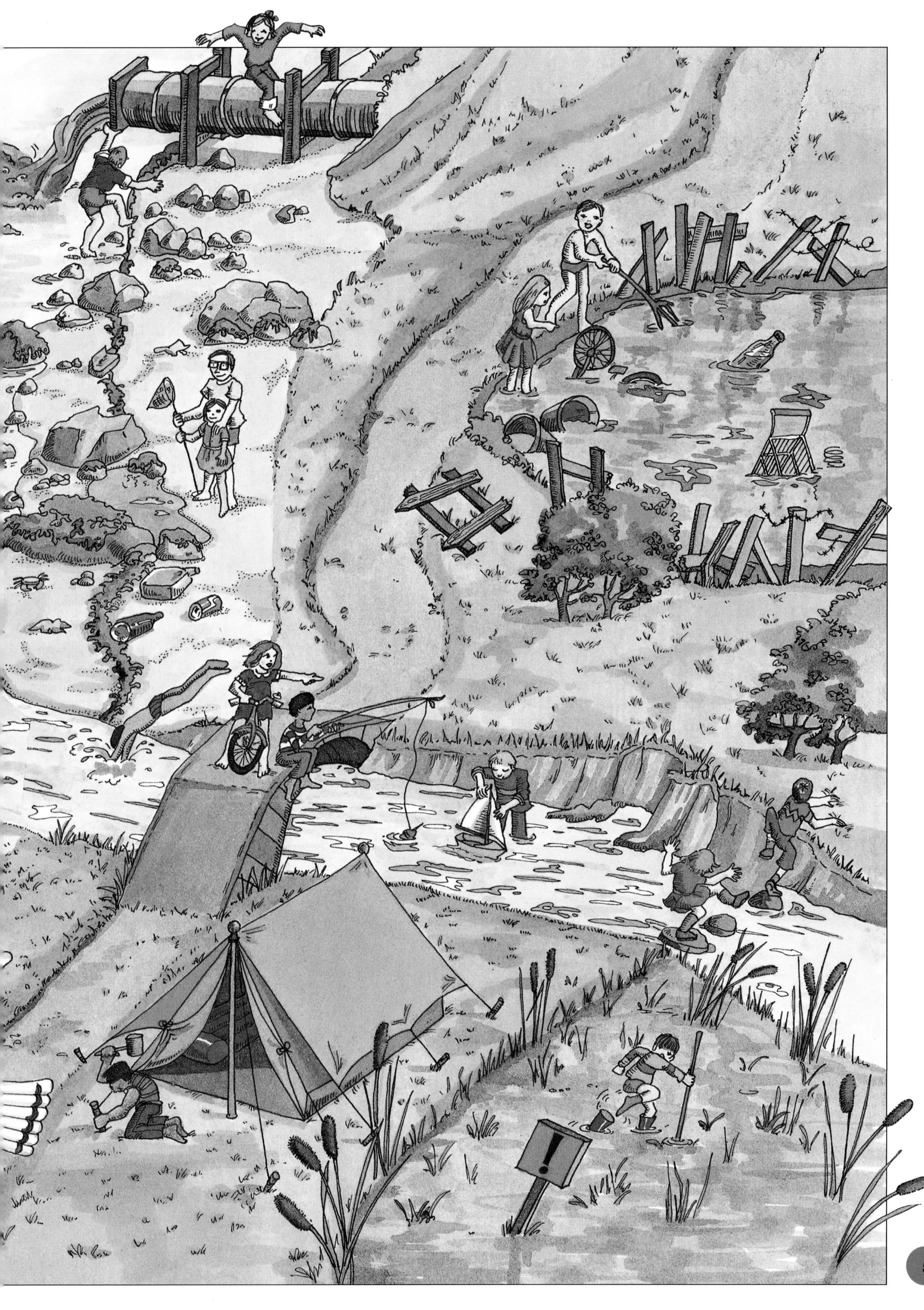

Veiller à sa sécurité

Il est très amusant de jouer dans l'eau, mais tu dois penser sans cesse à la sécurité. Aussi bizarre que cela paraisse, tu peux te noyer dans 9 centimètres d'eau. Pour rester en sécurité, tu dois commencer par apprendre, dans un endroit sûr, la technique des activités que l'on pratique dans l'eau ou au bord de celle-ci. Par exemple, c'est dans un bassin de natation que tu devrais apprendre à nager. L'endroit est plus sûr qu'une rivière ou la mer parce qu'il n'y a pas de courant. Les piscines publiques sont surveillées par des maîtres nageurs qui veillent à la sécurité des baigneurs, leur donnent des conseils ou des ordres et peuvent leur indiquer la profondeur de l'eau.

Beaucoup de gens deviennent membres d'un club pour apprendre à naviguer à la voile ou à faire du canoë. On leur enseigne comment faire les choses correctement et éviter les dangers.

À SAVOIR

Les bons nageurs ne sont pas seulement ceux qui se déplacent aisément dans l'eau. Ils ont aussi appris ce qu'il faut faire et ce qu'il ne faut pas faire. Ils savent qu'il est important de vérifier la température de l'eau et de ne nager que dans un endroit sûr. Ils savent qu'il est déconseillé de nager l'estomac vide ou après un repas. Tu devrais attendre au moins deux heures après un repas pour te mettre à l'eau, sinon tu risques d'avoir des crampes.

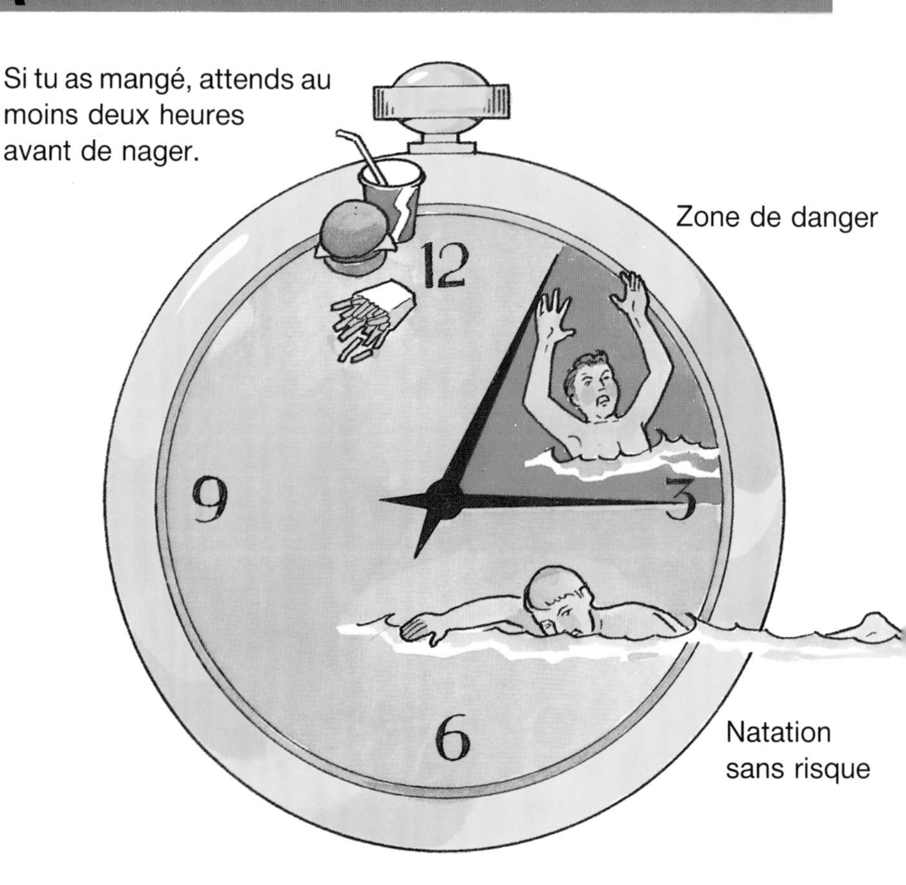
Si tu as mangé, attends au moins deux heures avant de nager.
Zone de danger
12
9
3
6
Natation sans risque

S’affilier à un club de voile est la meilleure façon d’apprendre les règles de sécurité sur l’eau.

Équipements de sécurité

Il existe toute une série de moyens d'assurer ta sécurité près de l'eau. Ceux qui ont un étang dans leur jardin le recouvrent souvent d'un grillage ou l'entourent d'une clôture, surtout s'il y a de jeunes enfants dans les environs. À la piscine, les débutants portent des brassards ou des bouées gonflables.

À la plage, des drapeaux de sécurité avertissent les gens de l'état de la mer. Ceux qui souhaitent naviguer en mer s'informent des prévisions météorologiques. Un bateau est pourvu d'ancres, de gilets et de bouées de sauvetage pour assurer ta sécurité. Il existe des bottes et des vêtements spéciaux pour les excursions en mer. Les plongeurs sont vêtus de combinaisons spéciales et emportent une réserve d'oxygène. Les pêcheurs enfilent des cuissardes qui leur évitent d'avoir les jambes mouillées.

EXERCICE

Regarde les pages 4 et 5 et dresse une liste de tous les accidents possibles. Quels sont, à ton avis, les accidents les plus fréquents ? Imagine et fabrique un signe avertissant les autres de ces risques. Tu pourrais, par exemple, décider de conseiller aux gens de rester groupés quand ils nagent dans la mer, ou encore d'éviter de nager trop près des bateaux pour ne pas être heurtés et blessés si ces embarcations virent subitement de bord.

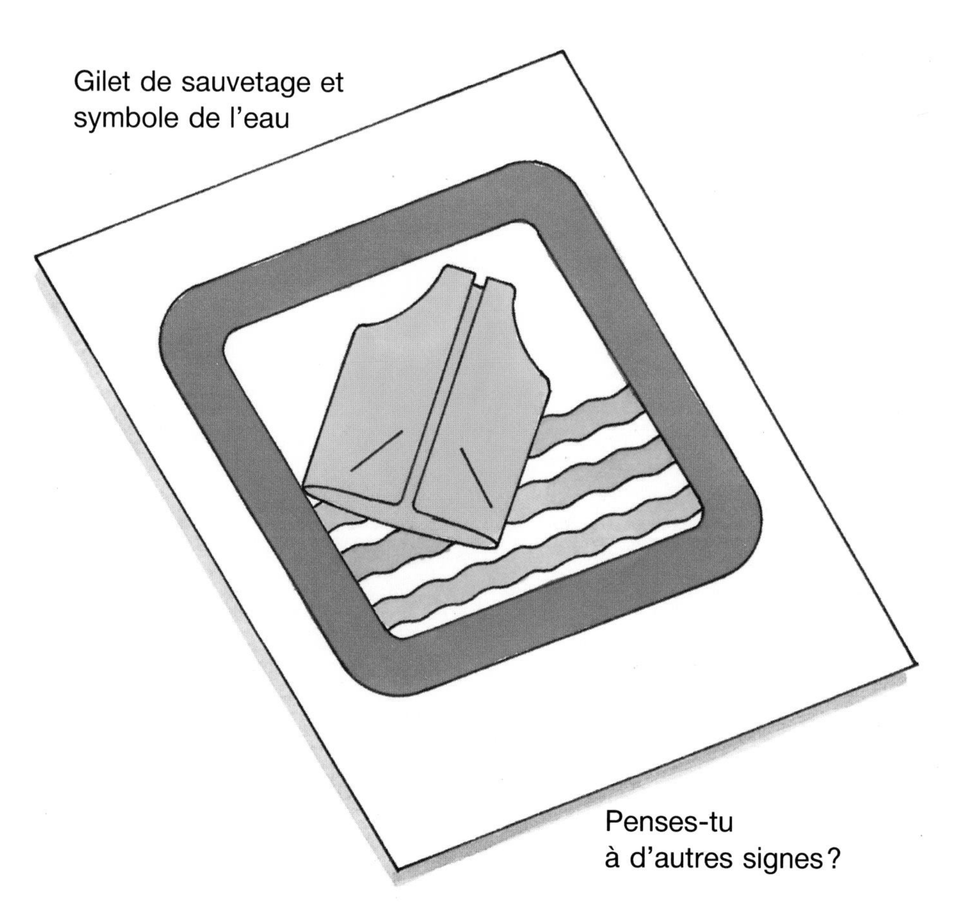

Gilet de sauvetage et symbole de l'eau

Penses-tu à d'autres signes ?

Ces barrières t'empêchent de t'approcher trop près de l'étang.

Quand tu fais du canoë, tu dois porter un gilet de sauvetage.

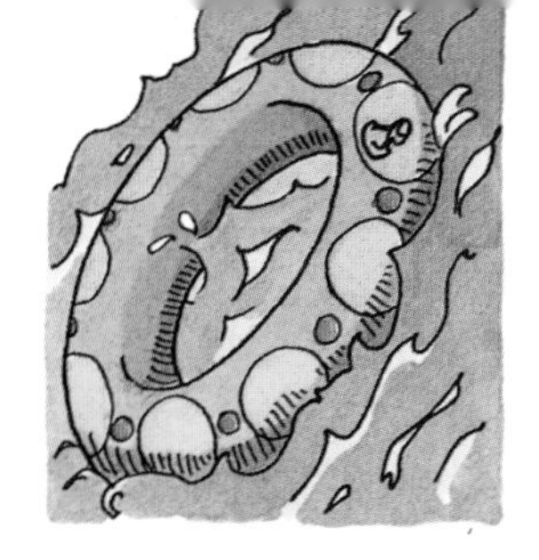

La natation

La piscine est l'endroit le plus sûr pour nager. Mais cela ne doit pas t'empêcher de demeurer prudent. Il est facile de glisser sur un sol humide. Ne cours donc pas. Pense attentivement à ce que tu fais et ne tente pas d'expérience à moins d'être certain de la réussir. Si tu apprends à nager, il est conseillé de porter des brassards gonflables.

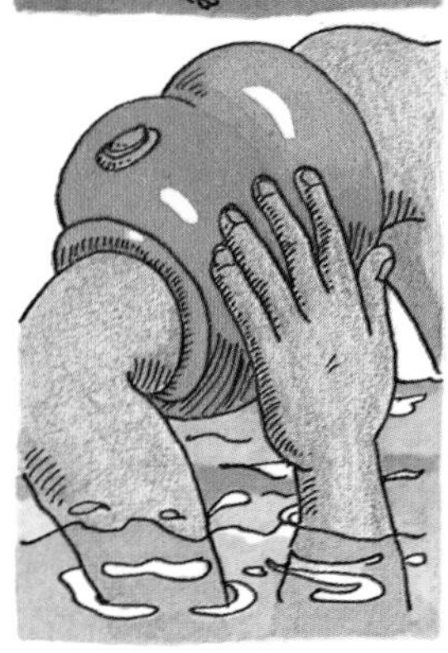

Certaines personnes essaient de nager dans des endroits dangereux comme des sablières ou des carrières remplies d'eau. Si les berges en sont abruptes, il est difficile d'en sortir et d'estimer la profondeur de l'eau. Il faut être extrêmement prudent dans les rivières et les fleuves au courant rapide, car tu peux être facilement emporté par les flots, heurter des blocs de roche, te blesser dangereusement, être assommé ou aspiré vers le fond par un tourbillon et te noyer.

À SAVOIR

Il y a de nombreux types de nages. Celle du chien consiste à battre l'eau des mains et à la repousser vers soi, la tête redressée et hors de l'eau. La brasse convient aux longues distances. C'est aussi la meilleure nage si tu portes des vêtements. La nage sur le dos est rapide et le crawl encore plus rapide, car il permet de fendre l'eau, mais c'est aussi plus fatigant. Il consiste en un battement continu des jambes et un tirage alternatif des bras.

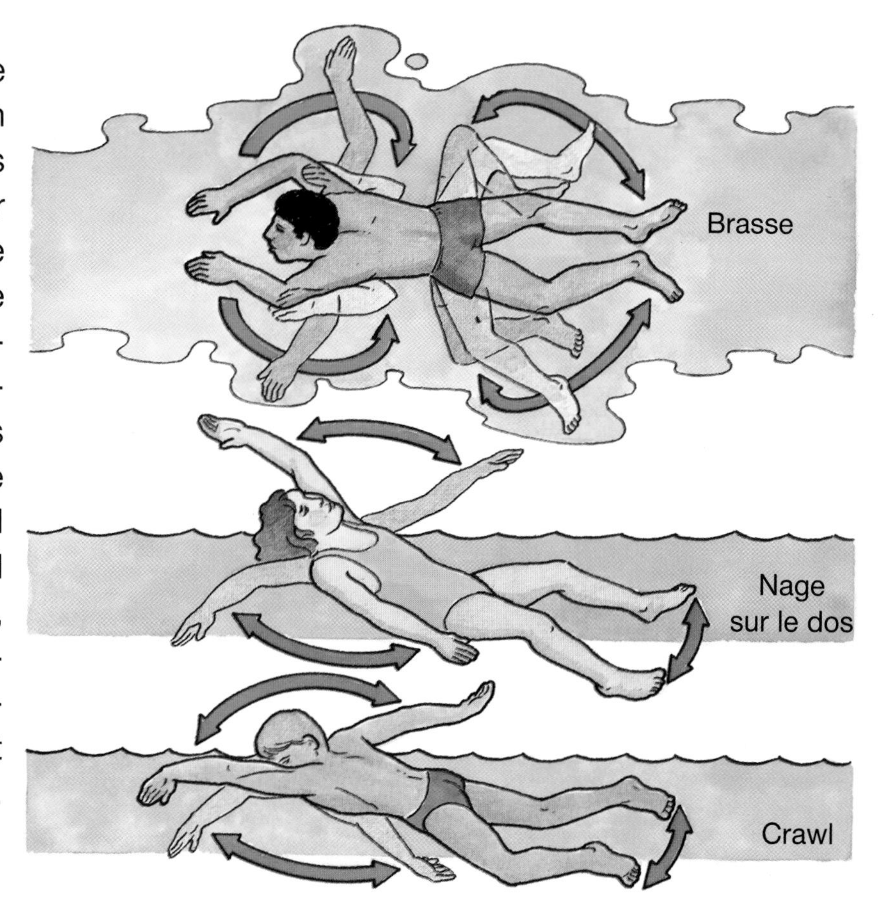

Tu peux apprendre à nager en suivant des leçons avec un groupe.

Surnager

Lorsque tu es devenu un bon nageur, tu dois te rappeler beaucoup de choses pour rester en sécurité. Il n'est pas conseillé de nager dans une eau très froide, car tu pourrais avoir des crampes. Si tu as une crampe, cesse de nager et retourne-toi sur le dos pour surnager. Si c'est à la jambe que tu as mal, tu peux alors étirer le muscle atteint d'une crampe en pointant les orteils vers le haut.

Tu dois apprendre à juger ce que tu es capable de faire et ce que tu ne peux pas exécuter. Si tu te sens fatigué pendant que tu nages, il est conseillé de te reposer et de surnager en te mettant sur le dos pendant un moment. Certains épuisent toute leur énergie en s'éloignant du bord à la nage et oublient qu'ils auront encore besoin de force pour revenir à leur point de départ. Pour nager en sécurité, il faut donc connaître ses capacités, la limite de ses forces et en tenir compte.

À SAVOIR

Tu as parfois besoin de repos pendant que tu nages. Tu peux nager debout en exécutant de lents mouvements des bras et des jambes pour surnager. Si tu as besoin d'aide, parce que tu es trop fatigué et que tu n'es pas certain de pouvoir regagner la rive, appelle au secours. Lève un bras tendu et agite-le latéralement. Emploie tes forces pour surnager et ne te bats pas contre le courant car tu risquerais de t'épuiser.

Le mouvement circulaire des bras te fait surnager.

Tu peux agiter un bras en dehors de l'eau pour appeler à l'aide tout en nageant debout et en surnageant.

Assure-toi que l'eau est assez profonde avant de sauter dans un bassin.

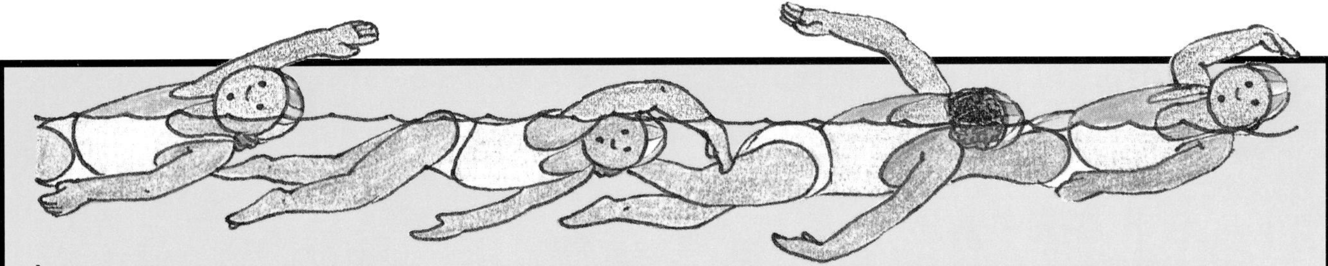

À la plage, avant de nager, tu dois connaître la signification des drapeaux. Un drapeau rouge signifie qu'il est dangereux de nager. Un drapeau vert ou orange signale la présence de sauveteurs dans les parages. Cherche d'autres fanions qui donnent des informations sur la mer.

À la plage

Beaucoup de gens aiment aller à la côte. Tu peux y nager, faire du bateau ou de la planche à voile, explorer les mares ou même prendre des bains de soleil. Patauger peut être très amusant, mais les autres peuvent ne pas aimer d'être éclaboussés.

Si tu aimes nager, il est conseillé de t'éloigner du bord en marchant dans l'eau et de revenir ensuite en nageant. Les nageurs prudents restent près de la côte et nagent là où se trouvent des sauveteurs. Si tu as un petit canot pneumatique, ne va pas trop loin car cette embarcation pourrait couler.

Tu dois être attentif aux marées. Il y a deux marées hautes par jour. Elles ont lieu toutes les douze heures et demie. Des gens ont eu des mésaventures parce qu'ils étaient partis visiter une grotte ou une petite baie et s'étaient retrouvés isolés par la marée.

EXERCICE

Les marées changent donc tous les jours. C'est à peu près au moment de la nouvelle lune que l'eau monte le plus haut. Tu peux vérifier toi-même les variations des marées en plantant un bâton dans le sable à marée haute et un autre à marée basse. Tu comptes ensuite le nombre de pas entre les deux bâtons. Recommence l'essai le jour suivant. Si tu tentes l'expérience à une autre époque de l'année, tu peux constater une grande différence.

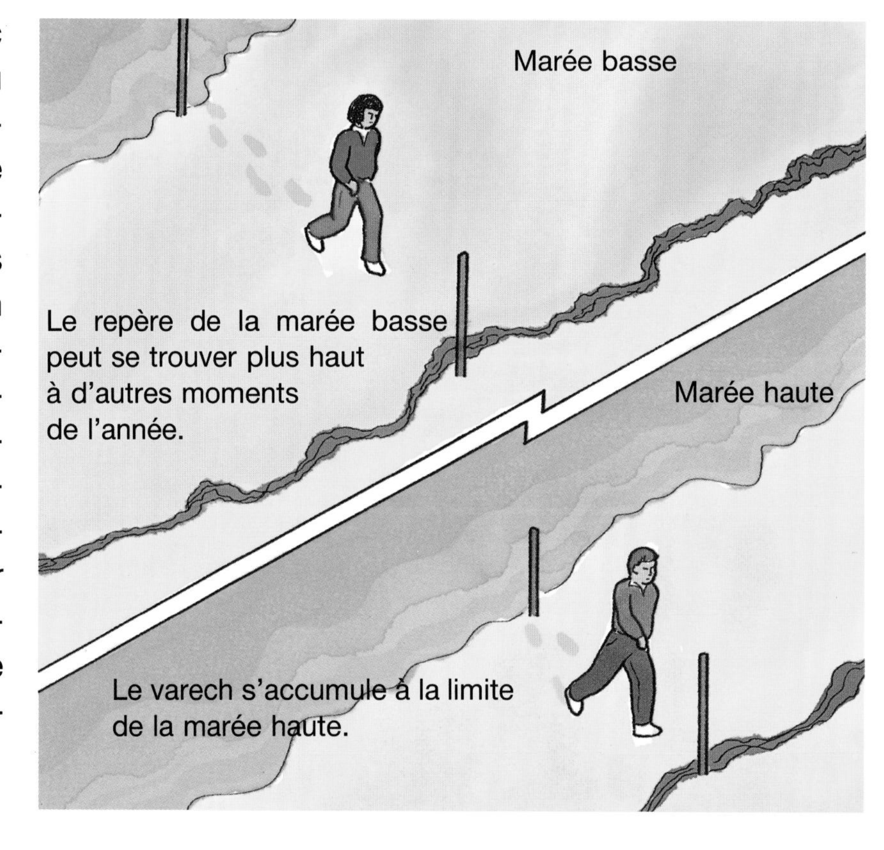

Marée basse
Le repère de la marée basse peut se trouver plus haut à d'autres moments de l'année.
Marée haute
Le varech s'accumule à la limite de la marée haute.

Il ne faut pas faire de la planche à voile trop près des nageurs.

À bord d'un canot pneumatique, reste tout près du rivage.

Des courants parcourent l'océan. Ceux qui circulent tout près de la surface sont causés par le vent, mais les courants profonds sont provoqués par les marées. Il y a un moyen simple de déceler un courant. Jette une bouteille vide en plastique dans l'eau. Observe dans quelle direction elle est poussée.

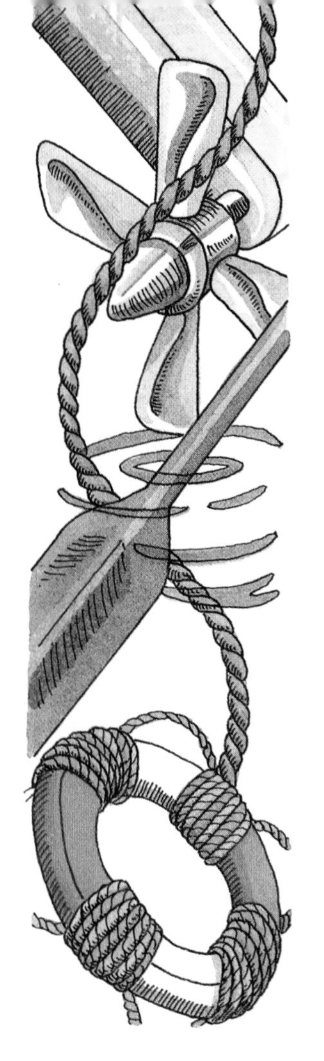

En bateau

Il y a beaucoup de sortes de bateaux. Certains sont des bateaux de pêche. D'autres sont des cargos, car ils transportent des marchandises. Et puis, il y a des bateaux de plaisance, comme les voiliers et les canoës. Quelles que soient leur taille, leur forme ou leur fonction, il existe des règles de navigation que les utilisateurs doivent respecter. Même si tu ne connais pas toutes ces règles, tu dois te souvenir qu'il faut faire ce que l'on te dit en cas d'urgence.

Le patron d'une embarcation doit avoir beaucoup d'expérience et être capable de nager. Les gens qui font du canoë doivent pouvoir parcourir au moins 50 mètres à la nage, habillés de vêtements légers. Ramer sur un étang peut être amusant et ne présente pas de danger tant que tu ne fais pas de bêtises, sauf s'il y a peu d'eau et que le fond est recouvert d'une vase épaisse dans laquelle tu risques de t'enfoncer.

À SAVOIR

Tu dois même apprendre comment embarquer et débarquer. Pour t'installer dans un canoë, tu dois placer la pagaie en travers de la rive et du canoë. Tu prends ensuite appui sur la pagaie et tu entres dans le canoë. Si tu montes dans une barque, assure-toi qu'elle est amarrée. Sinon, demande à une grande personne de la maintenir en place pendant l'embarquement. Quand tu es à bord, ne te lève pas, car la barque pourrait chavirer.

Place la pagaie en travers du canoë et de la rive.

Assure-toi que l'on tient bien la barque.

Si ton bateau chavire et que tu ne peux pas le redresser, attends que quelqu'un vienne t'aider.

Faire des bêtises en bateau est risqué.

Les objets qui flottent

Rassemble quelques objets. Fais-en deux tas : l'un avec ceux qui, à ton avis, flotteront et l'autre avec ceux qui couleront. Remplis d'eau un bassin et vérifie si tu as raison. Un objet flotte s'il a une forme et un poids appropriés. Un pot à confiture fermé hermétiquement flottera parce qu'il est rempli d'air.

La pluie

L'eau couvre plus des deux tiers de la surface de la Terre. Elle est dans les océans, les rivières, les lacs et même dans les nuages car l'eau s'évapore. L'eau de pluie s'infiltre généralement dans le sol. Tu peux dire qu'une terre est épaisse et lourde ou rocheuse si de petites mares se forment à sa surface. S'il n'y a pas de flaques d'eau, c'est parce que le sol a absorbé l'eau. Le sable absorbe facilement l'eau, mais l'argile difficilement. Si tu te promènes dans la boue, il est conseillé de porter des bottes en caoutchouc.

Parfois, on amène de l'eau souterraine à la surface en creusant un puits. Les puits peuvent être très profonds et sont dangereux. Tu ne devrais jamais jouer tout près d'un puits: il est très facile d'y tomber, généralement la tête la première, de s'y fracturer le crâne et aussi de s'y noyer.

À SAVOIR

Les rayons du soleil réchauffent l'eau sur la Terre et la vaporisent (1). La vapeur s'accumule en rencontrant de l'air plus froid et se transforme en gouttelettes d'eau qui forment des nuages (2). En grandissant, les gouttelettes s'alourdissent et tombent sous forme de pluie (3). (S'il fait très froid, elles gèlent et deviennent de la neige, du grésil ou de la grêle.) La pluie forme au sol des ruisseaux (4), des rivières puis des fleuves qui se jettent dans la mer.

Les courants rapides peuvent être très forts.

Le temps

Quand tu veux te rendre au bord de l'eau, il est conseillé d'écouter les prévisions météorologiques de façon à savoir quel temps il fera. Parfois, tu peux t'attendre à une tempête si le vent devient plus fort dans l'après-midi ou la soirée. Il en est de même si le vent change subitement de direction.

Si tu es en mer, tu dois connaître la force du vent. Celle-ci se mesure d'après une échelle qui s'étend de 0, quand la mer est calme, à 12, pour un ouragan. À 12, les maisons et les arbres peuvent être soufflés.

Certains utilisent un baromètre pour connaître le temps qu'il fera. Cet appareil mesure la pression de l'air. Si cette pression diminue brusquement, une tempête est probable: ce n'est donc pas le moment d'aller te promener près de l'eau ni, surtout, de prendre le large.

À SAVOIR

Quand il pleut beaucoup, des inondations peuvent se produire, généralement dans les vallées, près de la côte ou dans les terres basses. Même un simple ruisseau peut devenir assez fort pour t'emporter. Si tu plantes ta tente près d'une rivière, tu pourrais te retrouver trempé au cours d'un orage. Tu dois chercher un terrain plus élevé que la rivière. Mais s'il pleut très fort, il est sans doute préférable de quitter ta tente et de trouver un endroit sec.

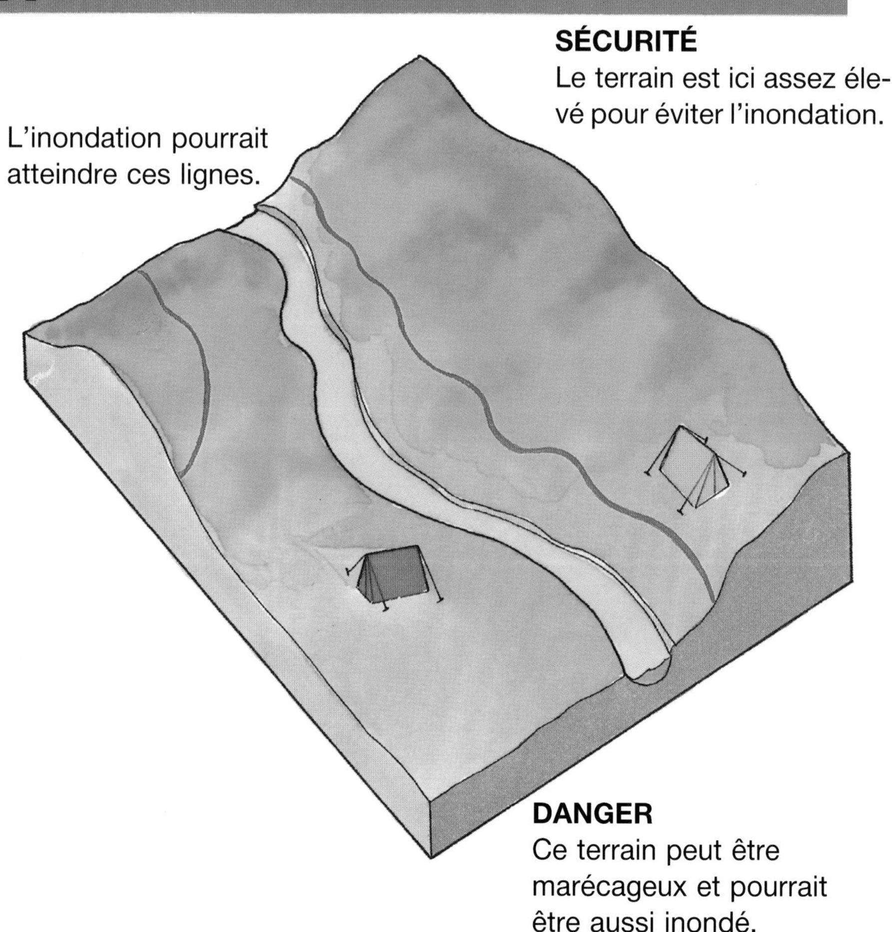
SÉCURITÉ
Le terrain est ici assez élevé pour éviter l'inondation.
L'inondation pourrait atteindre ces lignes.
DANGER
Ce terrain peut être marécageux et pourrait être aussi inondé.

Des vents violents peuvent abattre des lignes électriques et des arbres.

Installer un campement tout près de l'eau est risqué.

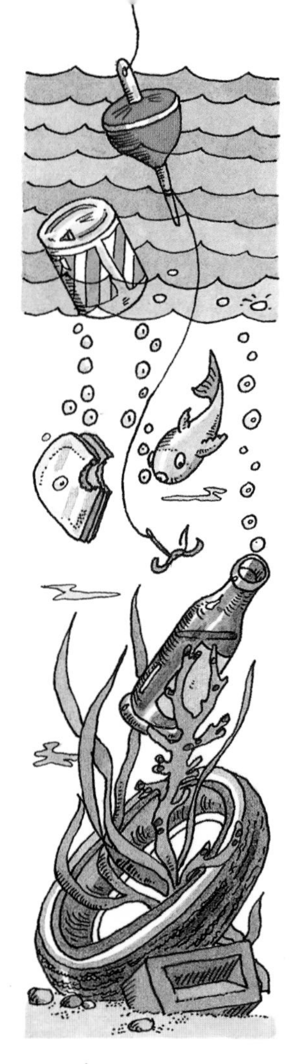

Fleuves et lacs

Quand la pluie tombe sur un sol très dur, l'eau s'écoule en formant des petits ruisseaux qui finissent par se réunir pour former une rivière. Les rivières se jettent dans des fleuves. Les lacs sont des étendues d'eau entourées de terres. Un réservoir est un lac artificiel, c'est-à-dire créé et aménagé par l'homme.

Tu dois être prudent au bord des cours d'eau et des lacs. Les rives peuvent être très glissantes et ceux qui s'approchent du bord de l'eau peuvent y tomber. Si ceci t'arrive, il est conseillé de te pincer le nez et de ne pas avaler de l'eau qui peut être polluée. Les eaux de l'intérieur d'un pays peuvent être très froides. Il est difficile d'y nager. Si quelqu'un tombe dans une rivière, les sauveteurs l'aideront plutôt à en sortir en lui tendant une perche qu'en sautant eux-mêmes à l'eau, du moins si la victime est à une distance accessible.

À SAVOIR

Il est difficile de déterminer la profondeur d'un fleuve ou d'un lac et tu ne peux pas toujours voir ce qu'il y a dans l'eau. Certains nageurs peuvent se retrouver emmêlés dans des algues. Certains se blessent avec des morceaux de verre et objets variés jetés dans l'eau. Les moustiques et d'autres insectes peuvent être gênants. Les sangsues qui vivent dans l'eau douce peuvent se coller à toi. Même si elle paraît propre et n'a pas d'odeur, l'eau peut être polluée.

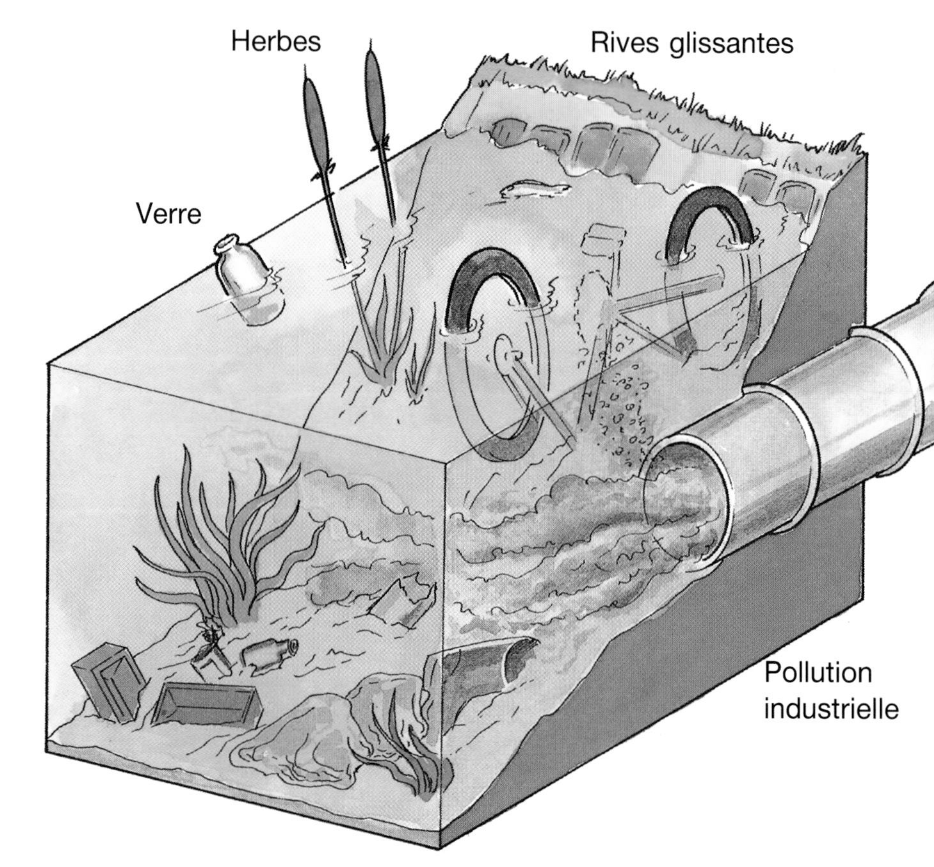

Les berges peuvent être très glissantes.

Ne touche pas à du matériel rouillé.

Canaux et ports de plaisance

Il y a bien longtemps, on a creusé des canaux pour transporter à bon marché des marchandises. De nos jours, peu de canaux sont encore utilisés pour les transports, mais beaucoup d'entre eux servent aux bateaux de plaisance et au tourisme. Certains ont été laissés à l'abandon et sont remplis de détritus et d'eau stagnante. Les ports de plaisance sont des bassins réservés aux bateaux à moteur et aux yachts.

Bien qu'ils soient dépourvus de vagues et de courants, les canaux et les ports de plaisance ne sont pas sans danger. Leurs berges peuvent être glissantes. Même des promeneurs qui les longent peuvent glisser et tomber à l'eau. Faire du vélo ou courir le long d'un quai est risqué. Il est important de se rappeler qu'il ne faut pas s'approcher seul de l'eau, car, en cas de chute, il est très souvent difficile d'en sortir sans aide.

À SAVOIR

On construit des écluses pour conserver aux canaux la même profondeur d'eau sur tout leur parcours. Les écluses sont munies de deux portes étanches. Un bateau franchit une porte d'entrée que l'on ferme derrière lui. Les deux portes étant fermées, le niveau de l'eau de l'écluse est élevé ou abaissé suivant le cas pour l'amener à celui du bief suivant. Quand l'opération est terminée, la porte du côté de l'avant du bateau est ouverte et le voyage peut continuer.

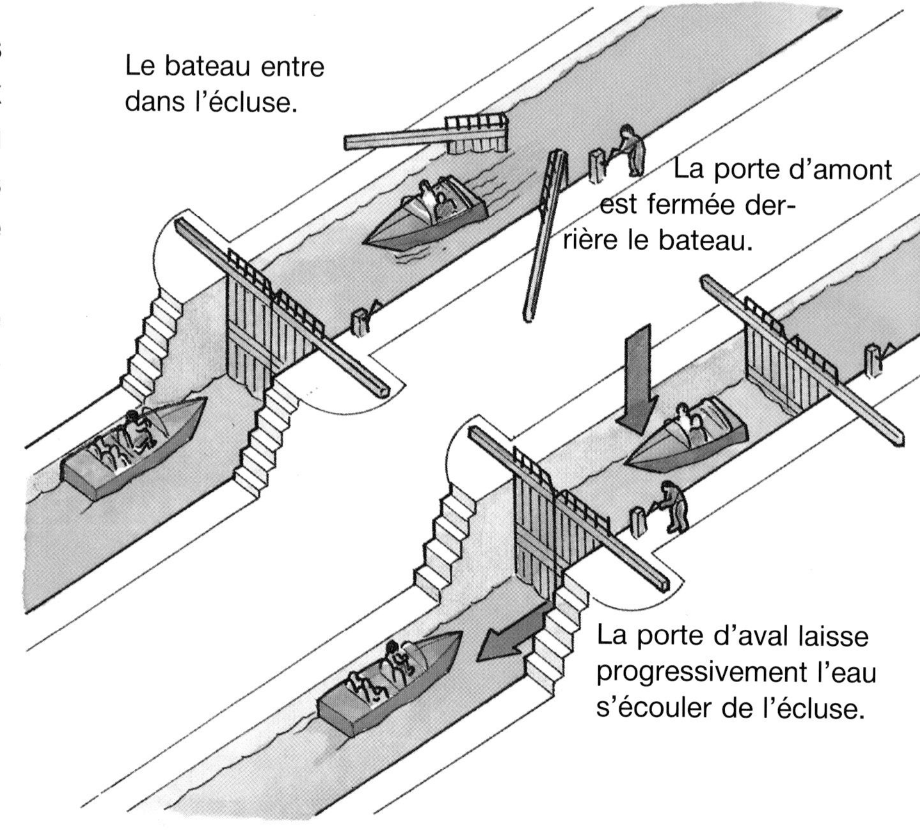

Le bateau entre dans l'écluse.
La porte d'amont est fermée derrière le bateau.
La porte d'aval laisse progressivement l'eau s'écouler de l'écluse.

Il est risqué de se pencher par-dessus le bord d'un canal.

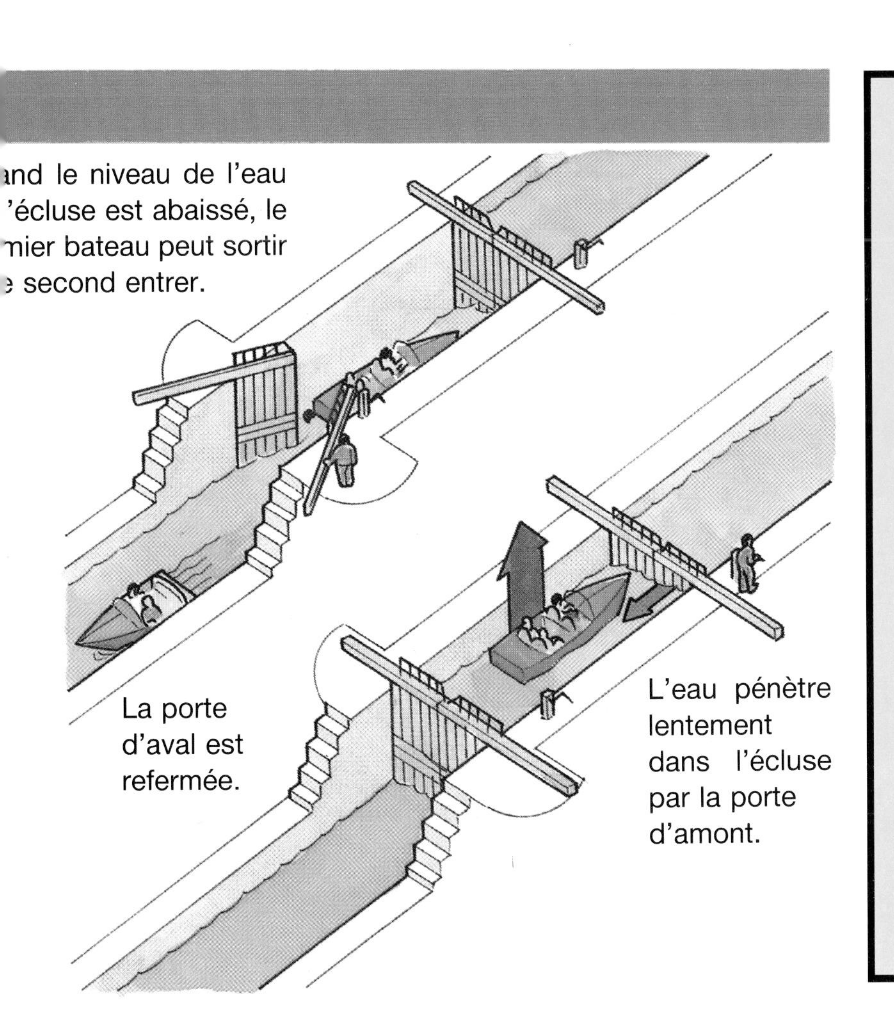

nd le niveau de l'eau
'écluse est abaissé, le
mier bateau peut sortir
second entrer.
La porte d'aval est refermée.
L'eau pénètre lentement dans l'écluse par la porte d'amont.

La prochaine fois que tu te rendras près d'un canal ou d'un port de plaisance, dresse une liste de tous les bateaux que tu vois. Note le moyen de propulsion de chacun. Par exemple, pour un chaland, c'est un moteur, et pour un canoë, des pagaies. Note aussi à quoi sert chaque bateau. Pour certaines personnes, il peut être un outil de travail.

Penser aux autres

Il est important de penser aux autres. De tout petits enfants peuvent être effrayés par les vagues ou par les éclaboussements dans une pataugeoire. D'autres personnes peuvent ignorer les règles de sécurité: tu devras peut-être, par exemple, rappeler à un copain que marcher sur la glace d'un étang gelé est dangereux parce que la couche de glace peut être mince et se briser.

Il est étonnant de constater combien d'accidents se produisent parce que les gens cherchent à se faire remarquer ou qu'ils agissent par défi. Il ne faut pas pousser quelqu'un à faire quelque chose dont il n'est pas sûr. Si quelqu'un te lance un défi, c'est à toi de décider si le risque vaut la peine d'être pris. Il faut garder la tête froide, bien réfléchir, calculer le risque et ne pas te laisser envahir par la vanité.

À SAVOIR

Plonger n'est sûr que si tu as appris à le faire convenablement. À la piscine, tu dois t'assurer que tu ne heurteras personne. Attends que les autres nageurs se soient éloignés avant d'entamer un plongeon. Les spécialistes estiment qu'il ne faut pas plonger dans une eau qui a moins de 3 mètres de profondeur, parce que tu pourrais te cogner la tête. Ailleurs que dans une piscine, tu dois t'assurer qu'il n'y a pas d'obstacle sous la surface de l'eau.

Ne plonge jamais sans connaître la profondeur de l'eau!

Ne plonge jamais au milieu d'autres nageurs!

Ne joue sur la glace que lorsqu'une grande personne t'aura dit qu'elle était assez épaisse.

Il peut être utile de rappeler à tes copains de ne pas nager après un repas.

Jeu sur la sécurité

Voici un jeu de société qui vous aidera, tes copains et toi, à vous rappeler les règles de sécurité au bord de l'eau.

Tu peux décider toi-même si le gagnant sera celui qui aura soit le plus de jetons, soit un jeton de chaque couleur. Le premier joueur lance un dé et peut commencer là où il le souhaite. Quand on atterrit sur une case occupée par un jeton, par exemple un canal, un autre joueur tire une carte du paquet «canal». Si tu réponds correctement à la question, le jeton t'appartient. Si la case ne porte pas de jeton, tu attends le tour suivant. Chacun joue à tour de rôle jusqu'à ce qu'il y ait un gagnant, en fonction des règles que tu auras décidé d'adopter en accord avec tes copains, avant le début du jeu.

EXERCICE

Sers-toi du jeu de la page ci-contre comme modèle pour fabriquer ton propre jeu. Utilise du carton solide. Fabrique des figurines pour chacune des cases. Tu peux aussi fabriquer des jetons. Tu dois ensuite imaginer et écrire sur des cartes toute une série de questions et de réponses. Tu trouveras beaucoup d'idées dans ce livre. N'oublie pas le chapitre «Premiers soins». Tu devras peut-être regarder d'autres livres pour avoir plus d'idées. Fabrique une vingtaine de cartes par catégorie de façon à englober un maximum de sujets.

Reproduis ce jeu aux dimensions que tu souhaites.

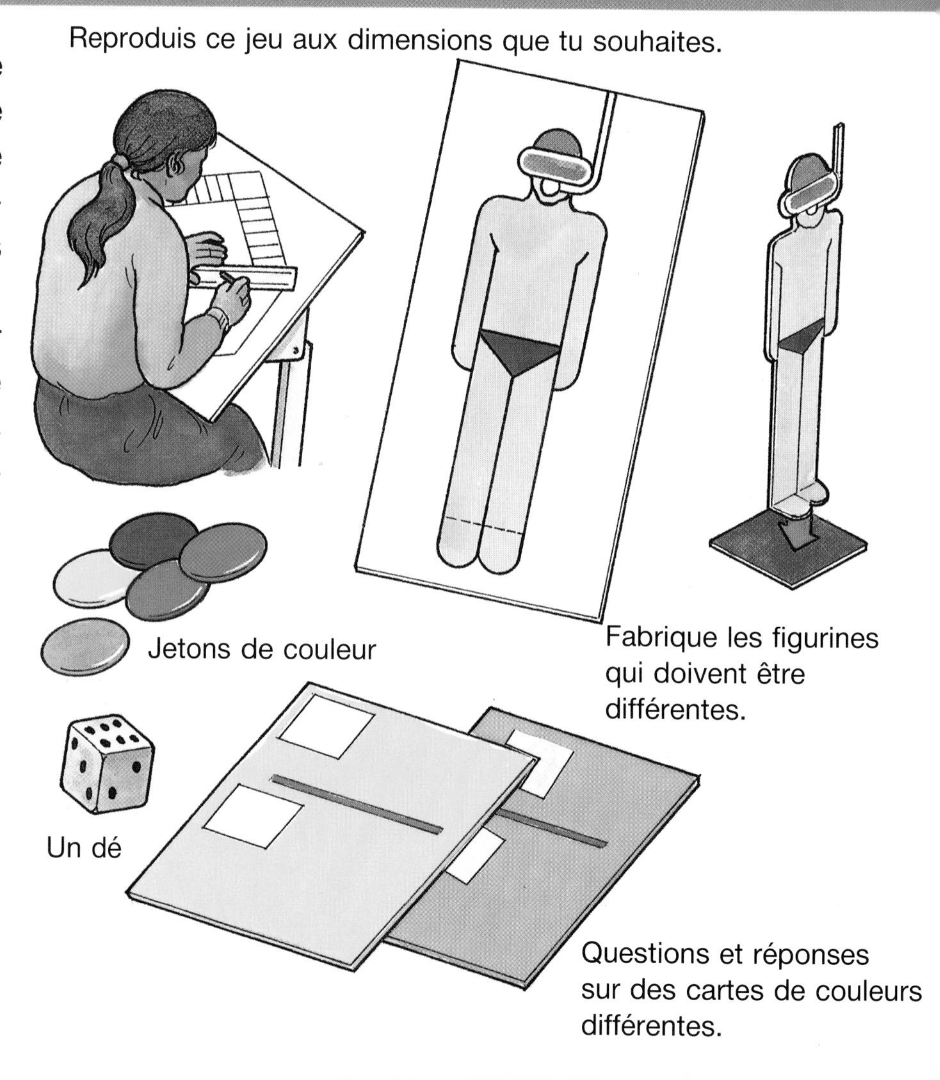

Jetons de couleur
Fabrique les figurines qui doivent être différentes.
Un dé
Questions et réponses sur des cartes de couleurs différentes.

Réponses aux questions de la page 4

Quelques enfants jouent près d'une eau polluée. Les campeurs plantent leur tente trop près du fleuve. Le plongeur ignore la profondeur de l'eau. Il y a du verre cassé sur la plage près du bébé, etc.

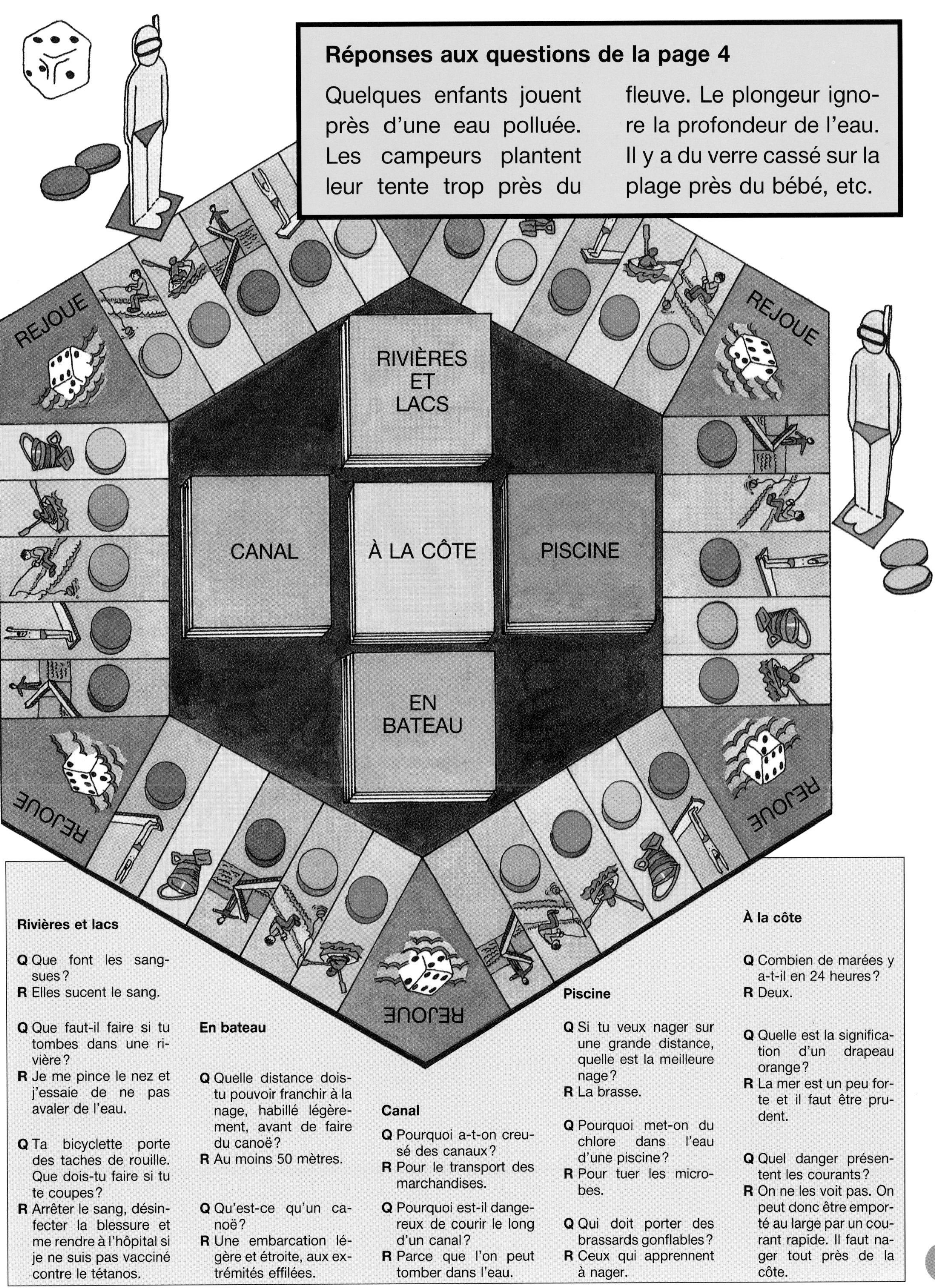

Rivières et lacs

Q Que font les sangsues?
R Elles sucent le sang.

Q Que faut-il faire si tu tombes dans une rivière?
R Je me pince le nez et j'essaie de ne pas avaler de l'eau.

Q Ta bicyclette porte des taches de rouille. Que dois-tu faire si tu te coupes?
R Arrêter le sang, désinfecter la blessure et me rendre à l'hôpital si je ne suis pas vacciné contre le tétanos.

En bateau

Q Quelle distance dois-tu pouvoir franchir à la nage, habillé légèrement, avant de faire du canoë?
R Au moins 50 mètres.

Q Qu'est-ce qu'un canoë?
R Une embarcation légère et étroite, aux extrémités effilées.

Canal

Q Pourquoi a-t-on creusé des canaux?
R Pour le transport des marchandises.

Q Pourquoi est-il dangereux de courir le long d'un canal?
R Parce que l'on peut tomber dans l'eau.

Piscine

Q Si tu veux nager sur une grande distance, quelle est la meilleure nage?
R La brasse.

Q Pourquoi met-on du chlore dans l'eau d'une piscine?
R Pour tuer les microbes.

Q Qui doit porter des brassards gonflables?
R Ceux qui apprennent à nager.

À la côte

Q Combien de marées y a-t-il en 24 heures?
R Deux.

Q Quelle est la signification d'un drapeau orange?
R La mer est un peu forte et il faut être prudent.

Q Quel danger présentent les courants?
R On ne les voit pas. On peut donc être emporté au large par un courant rapide. Il faut nager tout près de la côte.

Premiers soins

Les premiers soins consistent à s'occuper d'une personne qui vient d'être blessée et à l'aider. Tu dois suivre des cours pour devenir capable de donner les premiers soins. Tu trouveras ici des idées sur ce qu'il faut faire si tu te blesses ou si tu rencontres un blessé qui a besoin d'aide. Ces idées t'éclaireront, mais ne feront pas de toi un spécialiste des premiers soins.

La position convenable

Un blessé peut paraître somnolent. Des secouristes entraînés vérifient s'il respire et si son cœur bat. Ils peuvent placer le patient dans la position convenable. Ceci aide la victime à respirer plus facilement et lui évite d'étouffer. On enlève éventuellement ses lunettes. On s'agenouille à environ 25 centimètres du blessé et on lui tourne la tête vers soi en l'inclinant vers le haut. On déplace ensuite les bras : l'un le long du corps et l'autre replié. Une jambe est tendue, l'autre pliée.

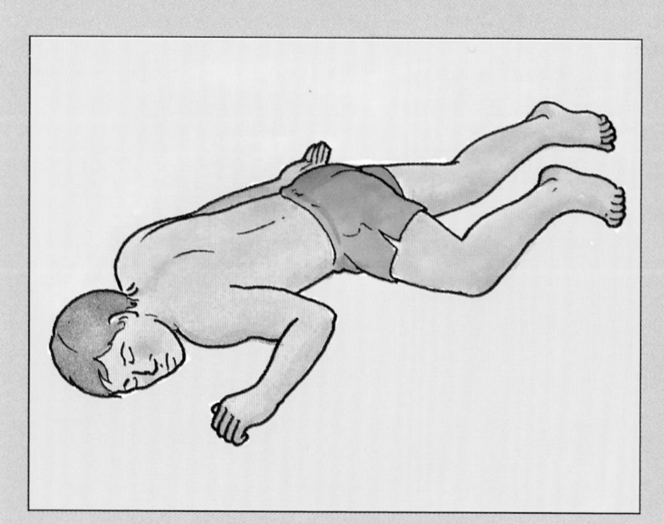

Les crampes

La crampe est une contraction soudaine et douloureuse d'un muscle ou d'un ensemble de muscles. Elle peut se produire sans avertissement pendant que tu nages. Elle est souvent causée par le froid.

Une crampe à la main peut disparaître en étendant les doigts, en les écartant et en appuyant pour les tendre. Si tu as une crampe au mollet, tends la jambe debout ; appuie d'abord sur le talon, puis sur les orteils et continue cette action. Se pencher vers l'avant est conseillé pour étirer les muscles. Si tu as une crampe à la cuisse, tu peux t'en débarrasser en t'asseyant par terre et en étendant la jambe. Quelqu'un d'autre peut t'aider en saisissant ta jambe par le talon, en l'élevant et en appuyant ensuite sur ta jambe. Tu peux étirer les muscles de la cuisse en

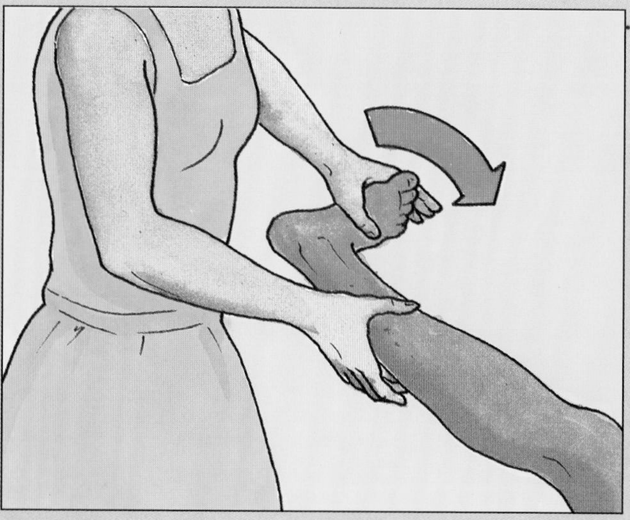

t'accroupissant tout en faisant peser l'effort sur les genoux. Si tu as une crampe au pied, il est conseillé de forcer tes orteils à s'étendre en marchant sur la pointe des pieds. Dans tous les cas de crampes, les massages sont recommandés. Mais ce traitement simple exige une technique que tous ne connaissent pas.

Coups de soleil

Si tu attrapes un coup de soleil, ta peau est brûlante et cela peut faire très mal. Tu peux refroidir la peau au moyen d'une lotion à base de calamine. Tu peux aussi appuyer un essuie-main mouillé sur la brûlure. De la glace enveloppée dans un linge peut aussi refroidir l'épiderme.

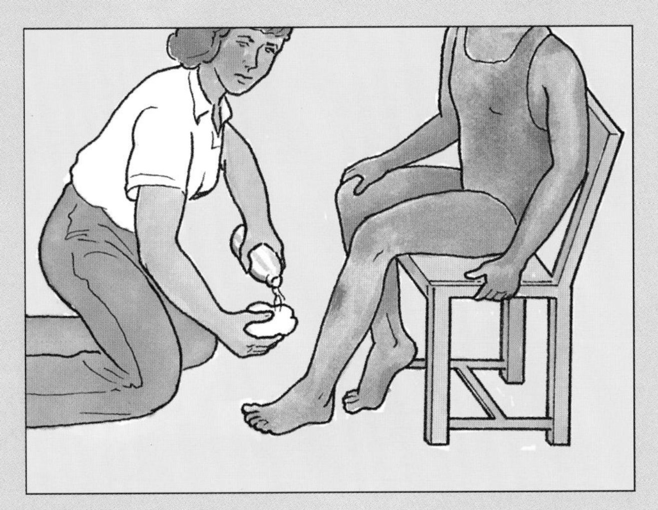

Piqûre de méduse

Il faut imbiber la piqûre de vinaigre pour réduire l'enflure. Emploie un désinfectant et consulte un médecin.

Hypothermie

Cet état correspond à une chute de la température du corps de 2 degrés au-dessous de la température normale de 37°. Si quelqu'un est atteint d'hypothermie, il faut tenter de le réchauffer. Débarrasse-le de vêtements humides et enveloppe-le dans un sac de couchage ou une couverture. Emmène-le à l'abri dans un endroit chaud. Des boissons chaudes et sucrées l'aideront aussi à se réchauffer. Appelle un médecin ou fais transporter la victime à l'hôpital.

En cas d'urgence

- Garde la tête froide et, surtout, ne panique pas.
- Si tu aperçois une personne en difficulté, demande-toi d'abord si tu peux l'aider toi-même ou si tu as besoin d'un autre.
- Ne prends pas de risques.
- Réfléchis au moyen d'obtenir rapidement de l'aide.
- En cas de nécessité, forme le numéro de téléphone de secours.*
- Tu dois savoir de quelle aide tu as besoin : services de police, d'ambulance ou de pompiers.
- Sois prêt à communiquer le numéro du téléphone que tu utilises et à expliquer où tu te trouves.
- Tu devras expliquer comment l'accident s'est produit.
- Ne raccroche pas le combiné du téléphone avant que ton interlocuteur n'ait fini de parler et de te donner ses instructions.

* Si tu ne connais pas ce numéro, renseigne-toi tout de suite.

Index

Origine des photographies:
Couverture, pages 19, 21 (en bas) et 23 (en bas): Tim en Jenny Woodcock;
pages 7, 15 (en haut) et 17 (les deux): Robert Harding Library;
page 9 (en haut): Marie Helene Bradley;
pages 9 (en bas), 11, 13, 15 (en bas), 17 (en haut), 23 (en haut) et 25: Zefa;
page 17 (en bas): Aladdin Pictures; page 21 (en haut): Catherine Bradley.

PRINTED IN BELGIUM BY proost INTERNATIONAL BOOK PRODUCTION